D1194571

Qui êtes-vous, monsieur Eiffel ?

ADRIANA KRITTER

Illustrations de Jeanne Detallante

Crédits

Édition : Alexandra Prodromides / Julien Keurmeur
Mise en pages : Christelle Daubignard
Illustrations couverture et intérieur : Jeanne Detallante

Principe de couverture : David Amiel et Vivan Mai
Maquette couverture : Sylvain Collet

Enregistrement, montage et mixage : Quali'sons

© Les Éditions Didier, Paris, 2020
ISBN 978-2-278-09605-3 – ISSN 2270-4388
Achevé d'imprimer en Italie par Grafica Veneta en juillet 2020
Dépôt légal : 9605/01

À PROPOS DE L'AUTEURE

Adriana Kritter est née et vit en région parisienne. Pendant plus de vingt ans, elle enseigne l'allemand à des adolescents et forme des professeurs de langue. Pédagogue dans l'âme, elle rédige en parallèle de nombreux manuels scolaires.

Depuis 2014, elle se consacre à plein temps à la fiction et à sa langue maternelle. Passionnée de mots et d'histoires, elle a écrit une dizaine de romans et de nouvelles qui mêlent suspense, émotion et humour.

À PROPOS DE L'ILLUSTRATRICE

Jeanne Detallante a développé un style très personnel, à la fois éblouissant et caricatural, identifiable instantanément.

Jeanne Detallante crée des univers fantastiques, perturbants et fascinants en explorant les archétypes des mythes classiques.

Après avoir vécu aux États-Unis pendant une dizaine d'années, elle s'installe à Bruxelles en 2014.

LA COLLECTION MONDES EN VF

Des œuvres littéraires contemporaines d'auteurs francophones

www.mondesenvf.com

Un site avec des ressources gratuites à télécharger

Le site *Mondes en VF* vous accompagne pas à pas pour enseigner la littérature en classe de FLE grâce à des fiches pédagogiques.

 Téléchargez gratuitement la version audio MP3 du livre

Dans la collection Monde en VF

1. La rencontre

Paris, dimanche 27 octobre

L e ciel est gris. Il pleut. Le vent souffle. Il fait froid. C'est presque l'hiver. Beatriz marche vite. Il est 17 h 55. Elle tourne à gauche, à droite, elle traverse une rue, un pont... Puis, elle s'arrête.

Devant elle, il y a la tour Eiffel. Grande. Très grande !

Le haut de la tour disparaît[1] dans les nuages.

Maintenant, elle scintille[2] même ! C'est magnifique !

Beatriz est impressionnée[3]. Elle prend des photos.

Cette année, la tour Eiffel a 130 ans ! Et, pourtant, elle paraît neuve[4] !

---

1. disparaître (v.) : *être caché. Ici, le haut de la tour est caché par les nuages.*
2. scintiller (v.) : *briller. Une lumière très forte.*
3. impressionnée (adj.) : *surprise.*
4. paraître (v.) : *avoir l'air. Ici, elle a l'air neuve.*

La jeune femme ne connaît pas Paris. Elle est arrivée en France il y a deux semaines. Elle habite avec deux étudiants dans un petit appartement près de la gare Montparnasse.

Elle est étudiante à la Sorbonne, la célèbre[5] université du Quartier latin[6].

Ce soir, l'université organise un *Escape Game* pour les nouveaux étudiants. Beatriz aime jouer et apprendre : ce jeu est super pour connaître Paris !

La jeune femme aime aussi arriver à l'heure...

Elle regarde sa montre. Il reste dix minutes ! Elle commence à courir.

Ça y est, elle arrive ! Elle montre son ticket, puis monte dans l'ascenseur de la tour Eiffel. Au deuxième étage, elle sort. Ici, il fait très froid. Il y a beaucoup de vent.

---

5. célèbre (adj.) : *être très connu. La tour Eiffel est très connue dans le monde.*
6. quartier latin (n. m.) : *un quartier historique de Paris connu pour ses librairies et ses étudiants. L'université de la Sorbonne est dans ce quartier.*

Il y a aussi beaucoup de touristes ! Des Espagnols comme elle, des Brésiliens, des Chinois, des Anglais... Tout le monde aime la tour Eiffel !

Beatriz arrive devant l'entrée de l'*Escape Game*.

Quatre étudiants sont là. Ils attendent.

La jeune femme se présente :

— Bonjour, je m'appelle Beatriz ! J'ai 23 ans, je suis espagnole et étudiante en art. Vous étudiez aussi à la Sorbonne ?

— Oui, répond un jeune homme grand et maigre. Je m'appelle Hoang, je viens du Vietnam. J'habite à Paris depuis un mois. J'étudie l'histoire et la géographie.

— Hello ! dit une jeune femme rousse. Je m'appelle Amber, je suis américaine. J'étudie la littérature française. J'adore Paris !

— Bonjour ! dit un jeune homme brun avec des lunettes. Je m'appelle Julien, je suis québécois. J'ai 20 ans. J'étudie l'architecture.

La dernière étudiante dit :

— ¡Hola! Je m'appelle Carolina, je viens d'Argentine. J'étudie les mathématiques. J'aimerais…

Elle s'arrête de parler. Un homme d'environ 30 ans arrive. Il sourit[7] et dit :

— Bonjour et bienvenue à la tour Eiffel ! Je m'appelle Antoine, je suis le *game master*, en français : le « maître du jeu » !

---

7. sourire (v.) : *une expression heureuse du visage avec la bouche. On peut montrer toutes ses dents.*

Les étudiants répondent « bonjour ». Puis, Antoine explique le jeu.

— L'*Escape Game* commence bientôt. Imaginez : nous sommes en 1889. La tour Eiffel est presque[8] finie, mais beaucoup de Parisiens ne sont pas contents : ils pensent qu'elle va enlaidir[9] Paris.

8. presque (adv.) : *la tour Eiffel est « bientôt » prête.*
9. enlaidir (v.) : *devenir moche. Ici = Avec la tour Eiffel, les Parisiens pensent :*
« Paris ne sera pas belle ».

— Gustave Eiffel veut expliquer que la tour Eiffel est une construction très importante. Il doit écrire un discours[10]. Vous devez l'aider !

Les étudiants sont contents. C'est un vrai challenge !

Antoine continue :

— Il y a cinq énigmes[11]. Il faut trouver cinq mots mystères. Vous comprenez ?

— Oui ! répondent les étudiants.

— Super ! Attention, les téléphones portables sont interdits !

Les étudiants mettent leurs smartphones dans une boîte.

— Merci, dit Antoine. Maintenant, le jeu peut commencer !

---

10. discours (n. m.) : *texte lu devant un public.*
11. énigme (n. f.) : *un jeu pour faire réfléchir ; faire deviner avec des indications difficiles.*

Est-ce que vous avez des questions ?

— Vous nous aidez pendant le jeu ? demande Amber.

— Moi, non ! répond Antoine. Il y a un deuxième guide.

— Qui ?

— Surprise ! Bonne chance !

Devant les étudiants, une porte s'ouvre.

2. Qui êtes-vous ?

BIENVENUE DANS MON BUREAU !

Ils entrent dans un très beau bureau. Le décor et les meubles sont anciens : il y a une table, une chaise, une armoire et des appareils…

Les cinq étudiants trouvent le bureau très confortable. Ici, il fait chaud !

Soudain, ils entendent une petite musique : devant eux apparaît[12] un homme âgé, il a les cheveux gris, une barbe grise et un costume noir.

C'est Gustave Eiffel !

Quelle surprise !

— C'est un hologramme, dit Julien. Voilà notre guide !

---

12. apparaître (v.) : *être ou devenir visible. Ici, on voit l'hologramme de Gustave Eiffel.*

Deuxième surprise : l'hologramme parle !

— Bienvenue dans mon bureau ! dit Gustave Eiffel.

Maintenant, il faut résoudre[13] la première énigme.

Bon courage !

— Qu'est-ce que nous devons faire ? demande Carolina.

L'hologramme de Gustave Eiffel disparaît.

Une lumière s'allume au-dessus de la table.

— Regardez ! dit Beatriz. Il y a une enveloppe !

La jeune femme ouvre l'enveloppe, sort une lettre et lit à voix haute :

— Voici la première énigme : « Trouvez la date et le lieu de naissance de Gustave Eiffel. »

— Comment ? demande Hoang. Nous n'avons pas Internet !

— Je connais les *Escape Games*, dit Amber, tous les indices sont ici. Il faut chercher dans le bureau !

13. résoudre (v.) : *trouver la solution.*

Hoang dit alors :

— Sur l'étagère, il y a le plan d'une ville, un compas et un livre.

Julien continue :

— Sur le bureau, il y a une lampe, des crayons, du papier et une lettre.

— Il n'y a rien dans le tiroir[14], dit Carolina.

Les étudiants réfléchissent[15]. Amber dit :

— J'ai une idée !

Puis elle demande à Hoang :

— Qui a écrit le livre ?

— Honoré de Balzac, répond le jeune homme.

— C'est un grand écrivain français du XIXe siècle, dit Amber. Voilà un indice, je crois ! Quel est le titre du livre ?

— « Le Colonel Chabert »

---

14. tiroir (n. m.) : *boîte qui se glisse dans un meuble pour ranger.*
15. réfléchir (v.) : *penser.*

Amber est déçue[16].

— Il n'y a pas de date dans le titre…

— Peut-être à l'intérieur ! dit Hoang.

Il regarde dans le livre, puis dit :

— Le roman date de 1832. Je pense que Gustave Eiffel est né cette année-là !

— Bravo ! dit Beatriz. Mais quel jour ? Il y a 365 possibilités !

— J'ai une idée ! dit Carolina. Julien, regarde la lettre sur le bureau. De quand date la lettre ?

— Du 15 décembre.

— *Eurêka* ! dit Carolina.

— Maintenant, nous devons trouver le lieu… répond Amber.

— Le plan sur l'étagère est important, j'en suis sûr, dit Hoang.

Il pose le plan sur le bureau. Les étudiants regardent les dessins.

— C'est une église, dit Beatriz. Une cathédrale, même !

---

16. déçue (v.) : *émotion négative ; être triste.*

Elle lit à voix haute :

— La cathédrale Saint-Bégnine. Tu es étudiant en architecture, Julien, je crois… Tu connais cette cathédrale ?

— Non, désolé.

Les étudiants sont déçus. Où est né Gustave Eiffel ? Comment trouver la ville ?

— Regardez ! dit soudain Beatriz. Il y a un tableau[17] au mur. Il représente la cathédrale Saint-Bégnine !

— Super ! s'exclame Amber. Est-ce que tu vois le nom de la ville ?

— Oui, répond Beatriz. C'est « Dijon » !

— Dijon se trouve à l'est de la France, explique Hoang, c'est la capitale de la Bourgogne.

— Nous avons donc toutes les informations ! conclut Julien.

À côté de la porte, une lumière s'allume. Un message apparaît sur l'écran d'un ordinateur : « Quelle est la réponse ? Parlez dans le micro ! »

Hoang dit alors : « Gustave Eiffel est né le 15 décembre 1832 à Dijon. »

Les étudiants attendent, le cœur battant. Est-ce que c'est la bonne réponse ?

---

17. tableau (n. m.) : *peinture sur une toile.* On peint un paysage, un bâtiment ou *un personnage sur une toile.* Par exemple, La Joconde, *ou* Portrait de Mona Lisa *est un tableau de l'artiste Léonard de Vinci.*

3. Ses débuts

Un deuxième message apparaît alors : « C'est juste ! Bravo ! Le premier mot mystère est : « Ingénieur » Mémorisez ce mot ! »

Les étudiants sont contents. Très contents ! L'*Escape Game* commence bien !

La porte s'ouvre. Ils entrent dans une petite pièce.

Il y a un tableau noir et des craies[18]. Au mur, il y a des photos qui représentent une ville.

— C'est Dijon ? demande Hoang.

— Non, répond Julien, c'est Bordeaux ! Je connais cette ville. Elle se trouve dans le sud-ouest de la France, près d'un grand fleuve, la Garonne.

— Pourquoi est-ce qu'il y a des photos de cette ville ? demande Carolina.

---

18. craie (n. f.) : *petit bâton blanc pour écrire sur un tableau noir dans une classe.*

Ils entendent une petite musique. Et, soudain, Gustave Eiffel apparaît devant eux !

Il dit :

— Bordeaux est une ville importante pour moi. En 1858, j'ai 26 ans, je suis un jeune ingénieur et je construis[19] mon premier pont. Ou plutôt une passerelle[20]. Regardez !

Il montre une grande photo.

33 BORDEAUX - La passerelle M. D. édit.

---

19. construire (v.) : *faire un objet ou un bâtiment.*
20. passerelle (n. f.) : *un petit pont.*

— Magnifique, non ?

Les étudiants sont impressionnés.

— Construire une passerelle à 26 ans, c'est super !
dit Carolina. Moi, j'ai 25 ans et je suis toujours étudiante...

Gustave Eiffel continue son discours.

— Les travaux commencent le 15 septembre 1858. La
passerelle mesure 510 mètres de long, la Garonne est un
fleuve très large. Mais un jour, il y a un accident... Que se
passe-t-il ?

Gustave Eiffel disparaît alors.

Une lumière s'allume au-dessus de la table. Les étudiants
voient une enveloppe. Amber l'ouvre et sort une lettre.

— Je ne peux pas lire, dit Amber. Regardez !

Elle montre un message étrange[21] :

> QJ KQRNEAN PKIXA ZWJO HW CWNKJJA.
>
> EH YKQHA.
>
> FA LHKJCA.
>
> FA HA OWQRA

— Cette énigme est difficile, dit Beatriz.

---

21. étrange (adj.) : *différent. Ici, on ne comprend pas le message écrit.*

— Peut-être pas… répond Carolina. Je connais les codes. Chaque lettre doit correspondre[22] à une autre lettre. Il faut réfléchir. Regardez bien le message. Qu'est-ce que vous voyez ?

— Quatre mots finissent par « A », dit Amber. En français, les mots finissent souvent par « E ». Le « A » correspond peut-être à « E » ?

— Je pense que tu as raison ! dit Hoang.

Carolina ajoute :

— Il y a deux fois le même mot : « FA ». Si A = E, il faut trouver le mot « …E ».

— C'est peut-être « JE » ou « LE », dit Beatriz.

— C'est sûrement « JE », dit Hoang. La troisième phrase n'a que deux mots. Le deuxième mot est un verbe, c'est sûr !

Carolina va vers le tableau noir et écrit avec une craie blanche :

QJ KQRNEEN PKIXE ZWJO HW CWNKJJE.

EH YKQHE.

JE LHKJE.

JE HE OWQRE

---

22. correspondre (v.) : *chaque lettre « remplace » une autre lettre. Ici, le A = E.*

25

Julien dit alors :

— Il n'y a pas beaucoup de mots de deux lettres en français. Je connais « DE », « LE », « LA », « IL », « ET », « UN »... Le premier mot est peut-être « UN ».

Carolina corrige :

— C'est encore difficile... dit Amber.

— J'ai trouvé ! dit soudain Carolina. Nous savons que A = E et F = J. C'est simple.

Les étudiants ne comprennent pas. La jeune femme écrit alors l'alphabet et, en dessous, le code :

A	B	C	D	E	F	G	H	I	J	K	L	M
E	F	G	H	I	J	K	L	M	N	O	P	Q
N	O	P	Q	R	S	T	U	V	W	X	Y	Z
R	S	T	U	V	W	X	Y	Z	A	B	C	D

Maintenant, Julien, Beatriz, Hoang et Amber ont compris. Ils sont impressionnés.

— Tu es géniale, Carolina ! s'exclame Julien.

La jeune mathématicienne devient toute rouge.

— Maintenant, il faut déchiffrer[23] tout le message !

---

23. déchiffrer (v.) : *comprendre un message avec des signes, des lettres ou des symboles.*

4. Le puzzle de sa vie

L es étudiants prennent un crayon. Cinq minutes plus tard, ils trouvent la solution !

UN OUVRIER TOMBE DANS LA GARONNE.

IL COULE.

JE PLONGE.

JE LE SAUVE.

— Gustave Eiffel est un héros ! dit Amber.

Une lumière s'allume. Un message apparaît sur l'écran de l'ordinateur : il faut compléter le code : « A = …, B = …, C = … »

Carolina dit la réponse dans le micro. Un nouveau mot mystère apparaît : « Humaniste » Les étudiants ont réussi. Ils sont contents !

— Qu'est-ce que ça veut dire « humaniste » ? demande Hoang.

Julien parle très bien français. Il explique :

— Pour un « humaniste », les hommes et les femmes sont très importants !

Une porte s'ouvre à ce moment-là.

Les étudiants entrent dans une grande pièce.

Gustave Eiffel est déjà là.

Il dit :

— En 1866, je crée mon entreprise. J'ai des collègues sérieux. Nous avons beaucoup de travail ! Notre spécialité : les structures métalliques. Nous construisons des ponts, des passerelles, comme à Bordeaux, mais pas seulement[24]... Vous devez maintenant trouver toutes nos constructions. Vous avez quinze minutes ! Bonne chance !

Gustave Eiffel disparaît. Des lumières s'allument.

Les étudiants découvrent[25] cinq petites tables, cinq puzzles, et beaucoup de pièces...

— Vite ! dit Beatriz. Il n'y a pas beaucoup de temps !

— Je suis mauvais en puzzle ! dit Julien.

Carolina l'encourage[26] :

— Tu vas réussir, j'en suis sûre !

Les étudiants courent vers les tables et font les puzzles.

---

24. pas seulement (adv.) : *ils construisent aussi d'autres choses.*
25. découvrir (v.) : *trouver.*
26. encourager (v.) : *dire des paroles positives pour faire avancer. Donner du courage.*

C'est difficile. Toutes les pièces se ressemblent : elles ont presque les mêmes couleurs et les mêmes formes !

Pour Beatriz, c'est plus facile, elle étudie l'art, les images sont sa spécialité. Onze minutes plus tard, elle dit :

— J'ai fini !

Son puzzle représente une église.

Carolina, Amber, Hoang finissent rapidement. Leurs puzzles représentent une gare, un marché et une usine.

Il reste cinq minutes. Julien n'a pas fini.

— Nous pouvons t'aider ! disent les autres.

Trois minutes plus tard, le jeune homme est content, il a fini ! Grâce[27] à ses nouveaux amis ! Il dit :

— Merci de votre aide ! Mon puzzle représente un hôtel.

Une lumière s'allume près de la porte et éclaire l'ordinateur.

— Vas-y, Beatriz ! dit Julien. Donne les réponses !

27. grâce à (adv.) : *avec l'aide de*. Ici, *avec l'aide de ses amis.*

La jeune femme parle dans le micro : « Église – Gare – Marché – Usine – Hôtel » C'est juste ! Le troisième mot mystère est : « Entrepreneur »

Les étudiants mémorisent ce nouveau mot.

Gustave Eiffel apparaît soudain.

— Bravo ! dit-il. Vous savez maintenant que je suis un entrepreneur ! Mon entreprise a construit des ponts, des églises, des gares, des marchés, des usines, des musées… Mais dans quels pays ? Sur quels continents ? Vous devez le découvrir maintenant !

5. Un voyage autour du monde

Sur le mur, un grand écran apparaît. Les étudiants voient une carte de géographie. Une carte du monde !

Gustave Eiffel explique :

— Dans cinq minutes, vous allez voir des photos de mes constructions. Sous chaque photo se trouve le nom du pays. Mais il y a une difficulté : les lettres sont dans le désordre ! Vous devez trouver dix pays en dix minutes.

Gustave Eiffel disparaît. La première photo apparaît. Le nom du pays est : TU-SENTAIS.

Amber reconnaît la construction sur la photo. Elle dit :

— C'est la Statue de la Liberté !
Il s'agit des « ÉTATS-UNIS » !

Sur la carte du monde, un point rouge clignote[28]. Il représente l'Amérique du Nord.

— Bravo, Amber ! dit Julien.

28. clignoter (v.) : *briller et s'éteindre plusieurs fois.*

Les autres photos s'affichent. Carolina vient d'Amérique du Sud. Elle reconnaît la Douane à Arica, au Chili.

1857

1876

Hoang reconnaît la Poste centrale d'Ho-Chi-Minh-Ville, au Vietnam. Beatriz reconnaît le pont Eiffel à Gérone, en Espagne, et le pont de Maria Pia au Portugal. Ce sont des constructions célèbres de l'entreprise de Gustave Eiffel.

Mais il faut trouver les autres pays. Et les mots sont difficiles…

Les étudiants réfléchissent. Puis, Beatriz, Julien et Carolina trouvent les solutions : « HONGRIE », « ÉGYPTE » et « ALGÉRIE » !

Il reste deux mots.

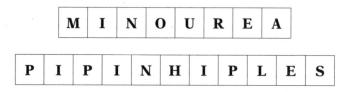

— Les noms sont amusants[29], dit Hoang.

— C'est vrai, dit Amber, mais c'est difficile et il reste seulement trois minutes !

Les étudiants réfléchissent encore.

---

29. amusant (adj.) : *qui fait rire.*

Amber trouve le premier :

— ROUMANIE !

Julien est mauvais en puzzles, mais il est fort avec les mots ! Il trouve la solution :

— C'est PHILIPPINES !

Julien dit ensuite les réponses dans le micro. C'est juste ! Le quatrième mot mystère est : « Cosmopolite »

Sur la carte du monde, des points rouges clignotent : par exemple, au Mexique, au Pérou, en Italie, en Russie, en Chine, et même en Océanie.

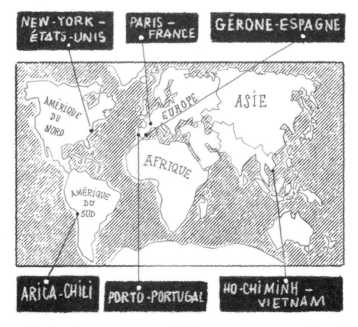

— C'est incroyable ! dit Carolina. Il y a des constructions de Gustave Eiffel sur tous les continents ! Son entreprise est internationale et vraiment cosmopolite !

Gustave Eiffel apparaît et dit alors :

— Maintenant, retournons en France pour la dernière énigme !

6. La tour Eiffel

Gustave Eiffel montre des feuilles de papier sur la table. Il explique :

— Ce sont des informations sur la tour Eiffel. Elles contiennent[30] le dernier mot mystère ! Trouvez-le !

Les étudiants prennent les feuilles et lisent les informations.

« Dans les années 1880, l'État prépare une grande exposition[31] pour les 100 ans de la Révolution française. Tous les pays peuvent participer : c'est l'Exposition universelle.

Maurice Koechlin et Émile Nouguier sont ingénieurs, ils travaillent avec Gustave Eiffel. Leur idée : construire une tour très haute !

---

30. contenir (v.) : *avoir. Ces informations sur la tour Eiffel ont le dernier mot mystère.*
31. exposition (n. f.) : *exhibition culturelle et commerciale. On présente des créations et des innovations des pays au public.*

La construction commence le 28 janvier 1887. 150 ouvriers travaillent dans l'usine, 250 sur le Champ-de-Mars.

Deux ans, deux mois et cinq jours après, le 31 mars 1889, la tour est finie. C'est une vraie réussite technique et architecturale !

À cette époque, elle mesure 312 mètres*, c'est très haut. C'est même la plus haute construction du monde !

La tour Eiffel pèse 10 000 tonnes. Ce n'est pas beaucoup, le métal est très léger. Elle est très haute et très élégante.

Pendant l'Exposition universelle, deux millions de personnes visitent la tour Eiffel. Les Parisiens, les Français

* aujourd'hui, 324 mètres avec les antennes.

et les touristes du monde
entier sont impressionnés!
Pour la première fois,
ils peuvent voir Paris d'en
haut. En 1889, il n'y a pas
d'avions…

Vingt ans plus tard,
Gustave Eiffel ne veut
plus détruire la tour.
Elle est utile pour la
science ou pour
les télécommunications.
En 1925, par exemple,
elle sert d'antenne radio.

130 ans après
sa construction,
la tour Eiffel
est le symbole
de Paris et, même,
de la France.
Elle reçoit sept millions
de visiteurs par an.»

Ces informations sont très intéressantes. Les étudiants sont impressionnés. Maintenant, ils en sont sûrs : Gustave Eiffel est un génie !

Mais où se trouve le mot mystère ?!

Hoang, Carolina, Amber, Julien et Beatriz relisent le texte.

Amber remarque[32] alors une lettre bizarre :

— Regardez au début, le mot « Révolution » !

— Je ne vois rien, dit Hoang.

— Le « v » est différent.

— Tu as raison ! s'exclame Beatriz. Dans le deuxième paragraphe, c'est pareil ! Dans le mot « idée », le « i » est différent !

— Ce sont des indices, confirme Hoang.

Il court vers le tableau et dit :

— Épelez-moi les lettres !

— V – I… répond Amber.

— S – I – O, continue Carolina.

— N – N, dit Julien.

---

32. remarquer (v.) : *faire attention. Ici, Amber fait attention à la lettre.*

Beatriz épelle les dernières lettres :

— A – I – R – E.

— « Visionnaire… », dit Beatriz. Je ne connais pas ce mot. Qu'est-ce que c'est un « visionnaire » ?

Julien explique alors :

— Un visionnaire pense à la ville du futur, aux communications, à la technologie… Gustave Eiffel est un visionnaire, c'est sûr !

Une lumière s'allume. Il est temps de donner la réponse dans le micro. C'est Amber qui le fait.

Une porte s'ouvre.

— Nous avons trouvé ! dit Beatriz.

Ils sortent de la grande pièce moderne et arrivent de nouveau dans le bureau de Gustave Eiffel.

L'ingénieur les attend. Il est content.

— Bravo ! Maintenant, vous me connaissez bien. Et vous pouvez m'aider ! Qu'est-ce que je peux écrire dans mon discours ? Notez vos idées ici !

Il montre le papier et les crayons sur le bureau, puis il ajoute « Merci de votre aide ! » et disparaît.

Les étudiants pensent aux cinq mots trouvés : « Ingénieur », « Humaniste », « Entrepreneur », « Cosmopolite », « Visionnaire ». Ils réfléchissent.

Puis, Amber prend le crayon et commence à écrire : « Gustave Eiffel est un grand ingénieur. Il construit des ponts, des marchés, des gares... »

Ensuite, c'est au tour de Julien : « C'est un entrepreneur cosmopolite. Il travaille dans le monde entier ! »

Carolina écrit aussi :

« Gustave Eiffel est aussi un humaniste. Toutes ses constructions sont des lieux d'échanges[33] et de communication. Pour lui, les êtres humains sont très importants. »

Beatriz ajoute :

« C'est aussi un visionnaire. La tour Eiffel est une construction incroyable. »

Hoang finit le texte :

« Aujourd'hui, elle est le symbole de Paris et, même, de la France ! »

Gustave Eiffel apparaît à ce moment-là. Il sourit.

---

33. échange (n. m.) : *le commerce.*

« Merci de votre aide ! Maintenant, grâce à vous, je peux écrire mon discours ! »

L'*Escape Game* est fini. Antoine arrive. Il dit « Bravo ! » aux étudiants et leur donne un diplôme.

Beatriz, Julien, Carolina, Hoang et Amber sont très contents. Ce jeu était amusant et intéressant. Maintenant, ils connaissent bien Gustave Eiffel !

Ils regardent une dernière fois le bureau et sortent.

Ils vont dans un café au premier étage de la tour Eiffel. Pour se réchauffer. Pour parler. Pour passer encore un peu de temps ensemble…

— Cet *Escape Game* était super ! dit Carolina. Et vous aussi ! On pourrait rester en contact !

— Bonne idée ! dit Hoang. On pourrait visiter Paris tous ensemble ?

— OK ! répond Amber.

— Je suis d'accord, dit Julien.

— Moi aussi, dit Beatriz. C'est amusant : même longtemps après sa mort, Gustave Eiffel nous réunit !